Een serie onder redactie van

F. J. Schmit en A. C. Niemeyer

MONTAIGNE

GEDACHTEN

L. J. C. BOUCHER
TE 'S-GRAVENHAGE
MCMLIX

Nederlandse bewerking
F. J. Schmit en A. C. Niemeyer

INLEIDING

Michel Eyquem de Montaigne (1533-1592) begon met het schrijven van zijn beroemde Essais toen hij 37 jaar was. Ze ontstonden doordat Montaigne de invallen, die zijn lectuur hem ingaf, opschreef. Het toeval bepaalde dus de volgorde. Zo kwam hij op het denkbeeld om door het geven van een zelfportret zichzelf te leren kennen. Ieder zou uit zijn werk moeten kunnen zien wie en wat de auteur was.

Door zijn observaties leerde

Montaigne de mens kennen als een veranderlijk wezen, niet in staat om ooit de waarheid te ontdekken, een slaaf van gewoonten, vooroordelen, egoïsme en fanatisme, een slachtoffer van omstandigheden.

Dit scepticisme, vermengd met een verfijnd epicurisme en een praktisch stoïcisme, is de grondtrek van het denken van de beminnelijke, verdraagzame wereldburger die Montaigne was.

De Essais boeien ons minder door grote diepgang dan door oprechtheid en echte menselijkheid, tot uiting gebracht in een taal, die sprankelt van nieuwe en onverwachte beeldspraak.

WAT weet ik eigenlijk?

Armoede aan aardse goederen is gemakkelijk te verhelpen; armoede des geestes is ongeneeslijk.

Hoe vele achtenswaardige mannen heb ik hun eigen reputatie zien overleven.

Ik onderwijs niet, ik vertel.

Ik weet wel wat ik ontvlucht, maar niet wat ik zoek.

Een wijs man ziet zoveel als hij behoort te zien, niet zoveel als hij kan zien.

Hoe beter ik de mensen leer kennen, hoe meer ik van mijn hond houd.

Kennis van Grieks en Latijn draagt zonder twijfel veel bij tot de verrijking van ons leven, maar men koopt haar te duur.

Hoeveel uitspraken golden ons gisteren als geloofsartikelen, die vandaag fabels voor ons zijn.

Niets geloven we zo stellig, als wat we het minste weten.

De vrucht van onze studie is dat we er beter en wijzer door worden.

Een goed huwelijk zou zijn dat van een blinde vrouw met een dove man.

Het is niet voldoende dat het onderwijs ons niet bederft, het moet ons beter maken.

Het is jammer dat wijze mensen zo van beknoptheid houden.

Welsprekendheid, die voor zichzelve de aandacht opeist, schaadt het besproken onderwerp.

Nooit waren twee meningen volkomen gelijk, evenmin als twee haren of twee graankorrels; de meest universele eigenschap is verscheidenheid.

Het beste blijk van ware wijsheid is een voortdurende blijmoedigheid.

Als ik met mijn kat speel, wie weet dan of ik haar niet meer plezier bezorg dan zij mij?

We bederven het leven door de zorg voor de dood en de dood door de zorg voor het leven.

Iemand kan nederig zijn uit trots.

Als iemand over zichzelf spreekt is het altijd met verlies: zijn zelfbeschuldigingen worden steeds geloofd, de eigen roem nooit.

Waarachtig, het is geen gebrek maar eerder overvloed, die gierigheid schept.

Waarlijk geleerde mensen zijn als korenhalmen op de akker: ze verheffen het hoofd in de lucht, zolang de aren nog leeg zijn; zodra deze zwellen en rijp worden laten ze nederig het hoofd hangen.

Evenals andere deugden heeft ook de moed zijn grenzen.

Koppigheid en drift zijn de duidelijkste tekenen van domheid; is er één schepsel zo zelfverzekerd, vastberaden, laatdunkend, ernstig en verwaand als een ezel?

Het is gemakkelijker een middelmatig gedicht te schrijven dan een goed gedicht te begrijpen.

Ik spreek de waarheid, niet zoveel als ik zou willen, maar zoveel als ik durf en ik durf wat meer naarmate ik ouder word.

Tot waarheid zoeken is de mens geschapen.

Wie zijn doel voorbijstreeft mist het evengoed als degeen, die het niet bereikt.

Geen hartstocht beïnvloedt de zuiverheid van ons oordeel zo ongunstig als de toorn.

Een wijs man verliest niets als hij zichzelf maar redt.

Wie geen goed geheugen heeft moet nooit liegen.

Menigeen gold in de wereld als een wonder, in wie zijn vrouw en zijn bediende niets bijzonders zagen. Weinig mensen worden door hun personeel bewonderd.

Het is gemakkelijker grote dingen op te offeren dan kleine.

Het is niet de dood, maar het sterven dat mij verontrust.

Dwang verbastert de welgeboren natuur.

De wereld hangt van geklets aan elkaar en ik heb nooit iemand ontmoet, die niet eerder te veel dan te weinig praatte.

Ik houd het er voor, dat wat niet verkregen worden kan met rede, voorzichtigheid en tact, nooit bereikt zal worden met geweld.

Een vrouw weet genoeg als ze het onderscheid kent tussen het hemd en het wambuis van haar man.

Ons leven is een voortdurend bouwen aan de dood.

De mens is een ongelooflijk ijdel, veranderlijk en onbestendig ding.

Wij kunnen niet zeggen, dat de leefwijze die de drinker doet ophouden voor hij dronken is, de eter voor hij een indigestie heeft, de wellusteling voor zijn uitspattingen zich bedenkelijk wreken, de vijandin is van onze genietingen.

Als vrouwen trouwen kopen ze een kat in een zak.

De goden hebben de dienst van Venus moeilijker gemaakt dan die van Minerva.

De wijsbegeerte heeft zowel lessen voor de zeer jeudige, als voor hem die afgeleefd is.

De grootste en gewichtigste menselijke wetenschap is die van de opvoeding en het onderwijs van de kinderen.

Van buiten kennen is geen kennen; het is slechts het bewaren van wat aan het geheugen is toevertrouwd.

Met het klimmen der jaren heb ik ingezien dat de geleerdsten niet de verstandigsten zijn.

Door de bloedverwantschap worden zelfs de verstandigste ouders te week en te slap.

Niets werkt zo uitdagend als de strenge kuisheid, de voorgewende onwetendheid en de zachte, kinderlijke schroom van jonge meisjes.

Het is goed de filosoof, die steeds naar boven loopt te kijken, iets in de weg te leggen, zodat hij er over struikelt en merkt dat hij op de aarde thuishoort.

Slechts dwazen kennen twijfel noch onzekerheid.

De jongen van beren en honden tonen hun natuurlijke geaardheid; de mensen evenwel, die reeds als kind onder het juk van gewoonten, meningen en wetten komen, veranderen gemakkelijk of doen zich anders voor dan ze zijn.

Wie de hagel op zijn hoofd voelt, denkt dat het op het ganse halfrond stormt en onweert.

De ouderdom groeft meer rimpels in onze geest dan in ons gezicht.

Maak u niet bezorgd als uw arts u het slapen, het drinken van wijn of het eten van vlees verbiedt – ik zal een andere voor u opzoeken, die het niet met hem eens is.

De dood ontslaat ons van al onze verplichtingen.

Niet het bezit, maar het genieten ervan maakt gelukkig.

De rede wist de andere droefheden en smarten uit, maar die van het berouw wekt zij steeds weer op.

Ook op de hoogste troon zit de mens op zijn achterste.

Geen enkele wind waait gunstig voor hem, die niet weet welke haven hij zal aandoen.

Het is veel gemakkelijker de ene sekse te beschuldigen dan de andere te verontschuldigen.

Ik heb nooit groter monster of groter wonder gezien dan mijzelf.

Duizenden mensen, dieren en andere wezens sterven op hetzelfde ogenblik als gij.

Het meest rampzalige en kwetsbare schepsel is de mens en toch is er geen trotser dan hij.

Ik heb ontdekt dat de beste deugd die ik bezit, een tikje ondeugd bevat.

Het is wel een armzalige geleerdheid, de zuivere boekenkennis.

Door hoeveel overwinningen en veroveringen, die in vergetelheid begraven zijn, wordt niet de hoop belachelijk gemaakt, dat wij onze naam zullen vereeuwigen door het gevangennemen van een stuk of tien bereden boogschutters of door het veroveren van een of andere molshoop, die alleen door de overgave enige bekendheid zou verkrijgen.

Het land van het huwelijk heeft deze eigenaardigheid, dat vreemdelingen verlangen er te wonen, terwijl de inwoners er gaarne uit verbannen zouden worden.

Lafheid is de moeder van de wreedheid.

Als ik zou moeten zeggen waarom ik van hem hield, zou ik geen ander antwoord kunnen geven dan: „omdat hij het was en omdat ik het was".

Er is geen grijsaard zo aftands, of hij denkt aan Methusalem en meent dat hij nog wel twintig jaar meekan.

Wie de mensen wil leren te sterven, moet hun tevens leren hoe te leven.

Iedere levensperiode heeft haar speciale vooroordelen; wie ontmoette ooit een grijsaard, die het verleden niet prees en het heden niet laakte?

Niemand ontkomt aan het spreken van onzin; beklagenswaardig is echter hij, die het met een plechtig gezicht doet.

Zozeer zijn de mensen gehecht aan hun erbarmelijk bestaan, dat er geen lot zo zwaar is of zij aanvaarden het, om hun leven te kunnen behouden.

Het leven is op zichzelf noch goed noch kwaad; het is de tijd waarin men goede of slechte dingen doet.

Naar mijn mening is het een gelukkig leven en niet – zoals Anthistenes zei – een goede dood, waarop het menselijk geluk berust.

Geen mens verliest eerder zijn gezondheid dan hij die de meeste moeite doet om haar te bewaren.

De rede beveelt ons wel altijd dezelfde weg te volgen, maar niet om steeds even snel te gaan.

Eensgezindheid is vervelend.

De oorzaak dat geleende boeken zo zelden aan hun eigenaars worden teruggegeven is, dat het veel gemakkelijker is de boeken te houden dan te onthouden wat er in staat.

Geen enkele deugd is zo gemakkelijk voor te wenden als vroomheid, zonder dat men zijn zeden en zijn leven er naar richt.

Toen men aan de meest wijze man, die ooit geleefd heeft, vroeg wat hij wist, was zijn antwoord dat hij wist dat hij niets wist.

Boeken zijn de beste proviand die ik heb gevonden voor onze levensreis.

Het publiek verlangt dat men verraadt, liegt en moordt; laten we dat echter overlaten aan lieden die gehoorzamer en gewilliger zijn.

Gewoonlijk voelen we ons meer bekoord door het getrippel, het spel en het kinderlijk gedoe van onze kinderen dan door wat ze doen als ze tot de jaren des onderscheids gekomen zijn. Beschouwden we hen soms als aapjes die ons tijdverdrijf schenken, en niet als mensen?

Als door de studie onze ziel niet beter wordt, als ons oordeel er niet gezonder door wordt, zou ik net zo lief willen, dat de leerling zijn tijd met kaatsen had doorgebracht; daar zou tenminste het lichaam leniger door zijn geworden.

Ik mis het gezag om geloofd te worden en begeer dat ook niet, omdat ik me te weinig geleerd voel om anderen te onderrichten.

Zoveel miljoenen mensen, die vóór ons begraven zijn, geven ons moed om zonder vrees een goed gezelschap in de andere wereld te gaan opzoeken.

Wie in het geheel niet voor anderen leeft, leeft evenmin voor zichzelf.

Het is even dwaas te betreuren dat we over honderd jaar niet meer zullen leven, als te wenen omdat we honderd jaar geleden nog niet bestonden.

Er is niemand zo goed dat hij geen tien keer verdiende gehangen te worden, als hij al zijn daden en gedachten moest openbaren.

Hoe menige domkop heeft aan een koel en zwijgzaam gedrag de roep van voorzichtigheid en bekwaamheid te danken.

Kennis is voortreffelijk; maar zij is niet in staat zichzelf voor bederf te bewaren, als het vat waarin ze bewaard wordt, onzuiver is.

Ik ben voor niets in de wereld zo bang als voor angst.

Stel dat ik angst kon inboezemen, dan zou ik toch nog liever liefde wekken.

Wat is de mens toch dwaas: geen luis kan hij maken, maar goden en heiligen creëert hij bij dozijnen.

Wie met mate bemint, is slechts matig verliefd.

Sommige nederlagen zijn glansrijker dan overwinningen.

Naar mijn mening worden de voornaamste posten veelal bezet door de minst bekwame mensen en houdt de rijkdom zelden de bekwaamheid gezelschap.

Het verstand wordt slaafs en onzelfstandig als het niet de vrijheid heeft iets uit zichzelf te doen.

Moest ik mijn leven nog eens overdoen, ik deed het net zo als ik gedaan heb. Ik betreur het verleden niet, noch vrees ik de toekomst.

Bandontwerp J. H. Kuiper